劉福春・李怡 主編

民國文學珍稀文獻集成

第一輯

新詩舊集影印叢編　第33冊

【《抒情小詩集》卷】

抒情小詩集

上海：古今圖書店 1925 年版

查猛濟　編

花木蘭文化出版社

國家圖書館出版品預行編目資料

抒情小詩集／查猛濟　編 -- 初版 -- 新北市：花木蘭文化出版社，
2016〔民 105〕
182 面；19×26 公分
（民國文學珍稀文獻集成・第一輯・新詩舊集影印叢編　第 33 冊）
ISBN：978-986-404-622-5（套書精裝）
831.8　　105002931

ISBN-978-986-404-622-5
9 789864 046225

民國文學珍稀文獻集成・第一輯・新詩舊集影印叢編（1-50 冊）
第 33 冊

抒情小詩集

編　者　查猛濟
主　編　劉福春、李怡
企　劃　首都師範大學中國詩歌研究中心
北京師範大學民國歷史文化與文學研究中心
（臺灣）政治大學民國歷史文化與文學研究中心
總編輯　杜潔祥
副總編輯　楊嘉樂
編　輯　許郁翎
出　版　花木蘭文化出版社
社　長　高小娟
聯絡地址　235 新北市中和區中安街七二號十三樓
電話：02-2923-1455／傳真：02-2923-1452
網　址　http://www.huamulan.tw 信箱　hml 810518@gmail.com
印　刷　普羅文化出版廣告事業
初　版　2016 年 4 月
定　價　第一輯 1-50 冊（精裝）新台幣 120,000 元

抒情小詩集

查猛濟 編

上海古今圖書店一九二三年六月初版，一九二五年再版。原書三十六開。

抒情小詩集

查猛濟編

上海古今圖書店印行

1925

錄目集詩小情抒

抒情小詩集目錄：——

卷頭語

劉序，沈序，自序・

春愁（胡懷琛） 1

雨後（蘇兆驤） 2

神秘（王警濤） 3

朋友（陳望道） 4

愁煩（拜梅女士） 6

讀了茵夢湖以後（陳德徵） 8

再會（徵塵） 11

去了（沈玄廬） 13

羞啊我（沈澤民） 15

小歌三首（周太玄） 17

落花（胡懷琛） 19

抒情小詩集目錄

玉蘭花（吳江冷）	20
戀愛（劉半儂）	22
小詩（胡適）	23
影子（陳學乾）	24
謝絕（汪靜之）	25
日本俗歌之一（周作人譯）	26
小詩兩首（陳南士譯）	27
西湖小詩二十首（陳德徵）	29
J君的話（鄭振鐸）	37
伊說（曹聚仁）	38
心中事（胡懷琛）	40
問愁（胡懷琛）	41
小詩十首（張近芬女士）	42
小詩（赤廬）	47

錄目集詩小情抒

忍耐些吧（拜梅女士） 48
失眠的一夜（赤光） 51
一首波斯詩人底歌（德徵譯） 52
想（蘇月女士） 53
愛你（蘇月女士） 54
愛我（蘇月女士） 55
送信者（郭紹虞） 56
小詩（劉復） 57
小詩之一（朱自清） 58
禱告（汪靜之） 59
期待（郭紹虞） 60
我們倆（劉復） 61
伊遠了（陳學乾） 63
人在世上（CF女士） 64

錄目集詩小情抒

等她回來（劉延齡） 65

海棠（CF女士） 66

惟月伴我（婉如女士） 67

接吻（美子重譯） 68

疑問（康白情） 70

愛底頌歌（很工） 71

小詩二首（野葵） 74

徬徨（修人） 76

花影（雪峯） 77

小詩（汪靜之） 78

腦海花（玄廬） 79

Venus（郭沫若） 81

小詩（鄧演存） 83

愛人底身傍（蘇儀貞譯） 85

4

抒情小詩集目錄

心上底寫眞（大白） 87
小詩（伊人） 98
司健康的女神（郭沬若） 92
花瓣（陳曉風） 93
窗外（康白情） 95
悼亡（沈太素） 96
甜美的夢（沈太素） 97
我底疑問（沈太素） 98
詩人底心（衆宇） 99
修養（冰心女士） 100
想（葉聖陶） 101
薄戀（兪平伯） 102
愛她呢（禪樹女士） 103
戀人的春（朱湘） 104

錄目集詩小情抒

夜（侍鷗女士） 105

棄婦的春（朱湘） 106

晚眺（侍鷗女士） 107

Venus（夢葦） 103

燈光（朱自清） 109

一點墨（徐玉諾） 110

愛的表象（徐玉諾） 111

小詩六首（毛彥文女士） 112

再版抒情小詩集補選目錄

再版自序

她的贈品（馮西冷） 117

短詩二首（周得壽） 118

我那時早已是你的了（沙　刹） 119

石屋洞去的路上（沙　刹） 122

夏夜（沙　刹） 123

黑夜的湖上（沙　刹） 125

無題曲（靜　之） 126

逃亡（延齡譯） 128

我將生活於你的愛中（延齡譯） 130

燈（萬） 131

小詩一首（輯　者） 132

小詩一首（維　旗） 133

錄目集詩小情抒

春寒（陳學乾） 134
無題（張拾遺） 135
親密（陸志韋） 136
流水的旁邊（陸志韋） 137
兩個人（陸志韋） 139
牆邊白梅早開，紅梅來時，白梅都已謝去。
（陸志韋） 140
又見一種青的野花，西名叫『早春』漢名我到不知道
（陸志韋） 142
占有（俞平伯） 144
假如你願意（俞平伯） 146
記七月十一夜之夢（俞平伯） 148
凝視（張耀南） 150
回憶（常書林） 153

8

再版自序

很難引起人們注意的一册抒情小詩，居然能在兩年以內得到讀者再版的要求，使我得再增選許多作品進去，這是出版界一椿很可紀念的快事。

這幾年來，國內文藝界對於新詩的興味，沒有往年那樣熱狂。加以復古的聲浪，日高一日，不少的道德學者，又拿虛僞的假面具來抑制青年人赤露露的自由思想，抒情作品之不能循序發達，也是意中之事；而這册小小的集子，却能冒一切的障礙

抒情小詩集

，奉着『愛』和『美』的使命，招呼一個個的青年，都投到牠底懷裏。

頗有許多人，以爲抒情詩的效用，是專供給貴族的，不能使大多數人受得享樂，把牠看作裝式品一般，這種觀念，實在和說『戀愛是資本階級的閑事業，對於困於今天的食之貧之者，是沒有用處的。』有同樣的錯誤。

我們如果能夠了解戀愛是人人都應該有的問題，那末便可知道抒情詩是人類都應該有享樂的權利；我們既不能一面尋求生活，一面否定戀愛；便不能一面爲大多數人謀得到物質上享樂的工具，而一面却否定抒情詩的價値。——這一點我在這册集子再版時，不得不略爲加以解釋的。

青年的朋友們喲！
牠是你們的麴子，
一碰到牠，
你們底心便要醞醉了；
牠是你們的燐火，
一碰到牠，

抒情小詩集

你們底心便要燃燒了。

青年的男女朋友們喲！
你們把牠放在愛人的前面，
當着傍晚、破曉、半夜或是晌午的時候，
將牠高聲地歌頌起來，
和在聖姆畫像前面，
朗誦讚美詩一樣，
那末你們便有福了。

十四年三月在西湖猛濟

4

劉序

幾千年來被壓在磐石的禮教下面的中國人底男女之情，差不多都不敢堂堂皇皇地表現。然而情苗是壓不住的，禮教的磐石，無論怎樣大而且重，他總要橫抽側迸地從磐石底裂縫、罅隙裏鑽出來。所以從國風，離騷以後，古今詩壇中，也不少抒情的作品。不過這些作品，一經到了衛道的禮教之奴的冬烘先生們眼睛裏，即使幸而不被指為淫奔之詩，也一定要被硬派作君臣、朋友間的寄託。所以抒情詩底名目，一向不會在中國文學史上出現。

抒情小詩集

到了最近，這一塊腐朽的磐石，已經被新時代的潮流衝擊崩裂了，他底運命已經垂盡，不能壓住情苗底森森怒長了。於是一般的新詩人，都很大膽地作起抒情詩來。又因爲詩體解放，可以用新工具充分地自由表現，所得的成績，往往遠勝於舊體的抒情作品。這是中國現代詩壇上最可喜的現象。

然而因爲這種革新運動，所經的時期，畢竟還是很短，所以作品不見很多，而長篇的作品，尤其不多。因此，我底朋友猛濟選的新體抒情詩集，只限於小詩。雖然他底專選小詩，還有他種理由

：我卻以爲這也是現在只能專選小詩的一個緣故。

可是我對於這本抒情小詩，覺得還有一種缺陷，就是女性底作品太少。中國底女性，所受的禮教壓迫底荼毒，比較男性所受的，本來更深更重，所以比較地不容易解放，比較地不敢肆無忌憚地有抒情的表現：這原不是選者之過。然而我總希望男女之情，兩性間雙方平均地發抒出來！中國現代的女性新詩人呵，你們不要再甘心屈服在運命垂盡的腐朽的磐石下面，一齊起來抽迸那久鬱深藏的情苗啊！

一九二二，一一，二〇，大白在蕭山衙前。

抒情小詩集

8

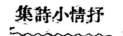

沈序

詩有兩大源泉：一、從情感流出，一、從哲學流出。從哲學流出的，非有別開生路的主張而用文學爲附麗不可；這一層，不是一般人可能，可能的，也非煅煉到或一時期不能成就。從情感流出的，無論什麼人，都有可能性而且都能：快活時一聲笑，是詩；沈悶時一聲歎，是詩；得意時一聲叫，是詩；痛苦時一聲哭，是詩。只要會笑，會歎、會叫、會哭的，沒有一個不是能詩的，如果因笑而引起人笑，因歎而引起人歎，因叫而引起人叫，因哭而引起人哭，這就下叫作詩人也做不到。抒情詩，即不必說是詩人底詩，也是能詩的人所做的詩。

猛濟是富於情感的靑年，他不但會笑會歎會叫會哭，並且善笑善歎善叫善哭，尤其善於不動聲色地笑，不動聲色地哭，所以從他冷寂而多情的眼光裏選出來的詩，大致能引起人類底同情的居多。

情・是純善的，願世間一切人乃至一切物，一一投入情底懷，飲情底乳，沐浴於無風無浪的情海，飛翔於無來無往的情天！

人呵！物呵！情無苦情，情詩也無苦詩，使情苦的，是賊害情的環境。

抒情小詩集

十一年十一月念五玄廬杭州

集詩小情抒

12

自序

凡是能眞確了解『文學經濟』這幾個字底人，總應該表同情於最大的效果從最少的文字得來的作品。

歐州自十九世紀以後，擺倫(Lord Byron,1788—1824)華滋渥斯(William Wordsworth,1770—1850)輩，以抒情詩人的資格，站在詩人的立脚點上，作詩界革命的先導。那時不但使抒情詩（Lyricc Poem)的勢力，駕史詩(EpicPoen)劇詩(Dramati Poem)而上之；連史詩劇詩在詩界固有的位置，也要使他同時失去。 到了現在，一說起抒情這兩

抒情小詩集

個字，還好像已說到詩歌底全部似的。

抒情詩在詩界上既佔了這樣重要的位置，自然要引起近代一般人的注意，而加以深刻的研究。不過抒情詩中，也有長篇，也有短篇，與其讀那洋洋灑灑的長詩，不如讀以簡短的文字表現出來的小詩。因爲小詩底刺戟和印象，比長詩還要深切；并且在『文學經濟』底意義下面，也更加適合。——這就是我編輯這書的原故。

當我編好這部書以後，我底朋友陳德徵曾在百忙之中費了兩天工夫替我校訂出許多謬誤的地方，這是我現在不得不感謝他！并且還要替讀者諸君感謝他的！

一九二二年，八，三。，猛濟。於上海
古今圖書店之袖海樓。

抒情小詩集

16.

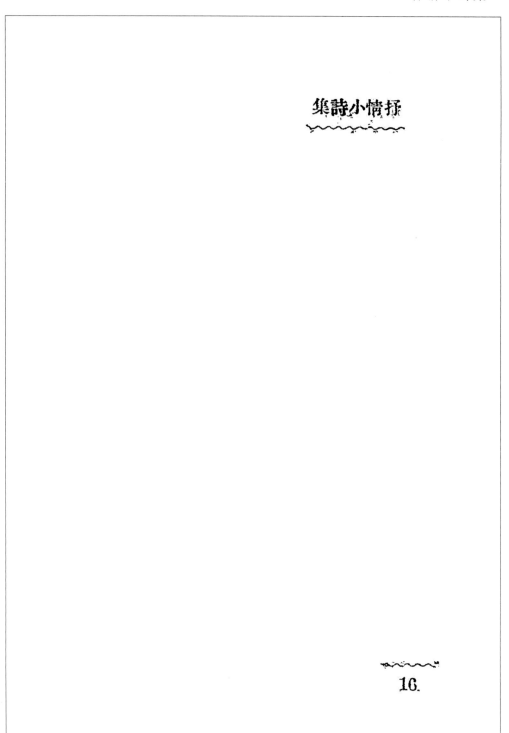

抒情小詩集

春愁

關着窗子睡覺，
打個夢兒的草稿；
怕被燈知道，
索性把燈吹滅了。

（胡懷琛）

雨後

（蘇兆驤）

荷葉兒半掩，
雨珠兒亂顫；
戀，戀，戀，
生怕被風兒看見。

五，十六，一九二一。

2

神秘

(王警濤)

我愛伊，
我爲甚麼愛伊？——
別離時！
覺有萬語千言，急要和伊說；
相見後，
却說不出片言半語！

一九二一，八，三。

抒情小詩集

朋友

（陳望道）

○

天旣畫分了我們，
『誰敢違天以取咎？』
朋友，我們永是朋友罷！

○

朋友，我們一定要永遠是朋友呵！
不要是張郄親李便棄，
世界原來都是
這麽的！………

（跋）張女士與吾友黃君極相得；近來被伊底父

4

母許配李君，女士表面雖不反抗，神情却極抑
鬱。 昨日我在吾友黃君處見了不禁起了無限
的同情就用伊底口吻賦一詩如右・

一九二一年六月十二日記

抒情小詩集

愁煩

（拜梅女士）

○

塞住胸口的，
冷却心頭的，
都是無端的愁煩啊！

○

無端地來了，
怎麼不無端地去呢？
愁煩也有膠黏性的嗎？
不，
　前途障壁，阻住愁煩底行路呵！

6

集詩小情抒

〇

破除障壁，
愛底血，
愛底努力！

——女師蕪湖——

讀了茵夢湖以後

(陳德徵)

〇

世界原不是只有你和我，
　只是你和我，
却配同在『夕陽橙』上坐。

〇

只有一把『夕陽橙』，
　只能坐着你和我・
却不料阿媽多事，
　慣弄風波，
硬硬地把他送入座。

集詩小情抒

○

他入座，
　便拆散了你和我。
從此『你再不會來了』，
　我也再不愛看那茵夢湖上波。

○

誰說天下有情的都成了眷屬？
　明明白白的你和我，
結果却這樣的悲痛呵！
　而今後，
我不希罕什麼眷屬，

集詩小情抒

我只望把造成這苦痛的制度打破！
一九二一，七，二十，十四・在杭州湖濱。

10

再會

（微塵）

○祇說聲再會，
忍心地說聲再會，
○我倆底再會在半夜，
在夜半的空中！
○風能夠吹散了我們，
再會就破了！

一九二二，一二，一七。杭州。

抒情小詩集

——青年創作社——

12

去了

（沈玄廬）

（一）

別的沒有東西可寄，——
只有淚！
淚也無從寄，——
除非夢裏！

（二）

我爲世人生，
難道我敢病？
去了眞去了，
牆邊送我登車影！

集詩小情抒

一九二三・二五・杭州。

14

抒情小詩集

羞啊我

（沈澤民）

她温情欵欵地來說我，
　正言厲色地來勸我；
我只是躊躇不進。
她把所有的全給了我，
　教我把所有的也全給了我，
我只是猶豫不忍。
她娥眉生嗔地怒我，
　頭也不回地離棄我，

抒情小詩集

我只是汗顏地踟蹰。
去了；
抱着無窮的失望而去了！
羞啊！我。

16

小歌三首

(周太玄)

沈重的腳步聲，
總不見他來，
叫人好等。
等到了回頭看，
他却過去了，
不留蹤影。

……………………

絕美麗的天仙人，
總不是他來，
叫人思忖。

抒情小詩集

試細細的留心，
他却在面前，
你要切認。
…………………
幸福，——愛情，——
是將你守着的時光；
是將你照着的明鏡。

八年八月四日佛郎克福

18

落花

落花飛，
　飛滿天。
花開有人愛；
　花落無人憐。
花開又花落，
　一年復一年。
此是第幾番？
問花花無言！

（胡懷琛）

抒情小詩集

玉蘭花

(吳江冷)

我願化作玉蘭花，
能掛在伊的胸間，
靜靜地聽着伊芳心底動跳。
一上一下，
一輕一重，
這是神秘的音樂；
美妙無比。

我在南京學術演講會第一次會請劉伯明君講演時，看見一個衣粉紅衣的女郎，胸前掛一朶玉蘭花。伊人的神態很能代表宇宙一種神秘的

20

美，乃感作這一首短詩。我對于伊人，只是用藝術的眼光看伊；不敢用什麽若干才子的眼光看伊；讀者幸勿誤會呢。

戀愛

自然的戀愛，你在什麼地方？
明明的月光，對着海洋微笑。

（劉半儂）

小詩

也想不相思，
可免相思苦。
幾次細思量，
情願相思苦。

（胡　適）

影子

（陳學乾）

我把她底影子，
密密地偷過來，
從無意中潛藏在我底眼裏！
這樣的偷呵，
假若她感到失了影子的震動時，
我就有福了！

——二一，十二，二十二。

謝絕

伊的情絲和我的，
織成快樂的幕了；
把他做遮欄，
謝絕人間的苦惱。

一九二二，十二，八。

（汪靜之）

日本俗歌之一

（周作人譯）

坐了等著，
臥了等著，
總是無消息。
寬闊的紗帳裏，
獨自一個人。
比燈火還熱的胸中火燒着的思想，
請你體察罷。

小詩兩首（英國雪莉原作）（陳南士譯）

音樂，當着柔曼的聲調盡了，
顫抖着在記憶裏——
香氣，當着美艷的紫羅蘭憔悴了，
生存着在他們所激刺過的感覺裏。

玫瑰的叶，當着玫瑰花謝了，
被堆疊了做愛人的臥榻；
所以你的思想，當着你已去了，
愛惜自身將休息在那上面。

抒情小詩集

雪利一七九二年生於英國薩色格斯，一八二二年淹死於地中海。他是英國詩人裏面最超越的天才，他的詩裏面的美，不是自然的美，也不是人生的美，乃是一種空門的美，不可捉摸的。他有許多極好的詩，這兩首不過是他的抒情詩的一斑。

28

西湖小詩二十首

（陳德徵）

○

濛濛的雨，
把伊羞怯怯的面龐遮住了！

○

西冷橋呵，
忍見着『油壁香車』，
汚你底脚嗎？

○

岳家母教，
怕不許這樣的硃紅染着的大殿宇吧，

抒情小詩集

『始作俑者』怕要遭岳飛底斥責了。

○

鳳林寺的鐘聲，
吹入湖心的小舟裏了，
舟心裏這顆心，也顫動了！

○

桃花未放！
孤山的風已變了，
吹得人心醉了！

○

最不能忘情的西泠社呵，

30

抒情小詩集

使我底靈魂得了安慰了！

○

我已踏着雲端了，
如果雙峰果然插入雲中去的。

○

葛仙果眞鍊丹成了仙嗎？
那末，他也太忘本了，
嶺上從未有他底蹤跡。

○

湖心亭，
將淹沒下去了，

抒情小詩集

大約伊羞見西子改裝吧！

〇

湖風呵，
我要詈你呢，
因爲小船兒被你吹得搖籃也似的，
因爲我底骨，被你吹徹了！

〇

平湖底秋娘已經半老了，
哪堪鄰居的貴女，向自己顯富呢？
然而，貴女底痴肥，
終究及不來伊底瘦削呀，

抒情小詩集

○

蘇堤啊，
　春已曉了，
怎麼還睡着呀，
　別人正預備挖你底脚呢！

○

白堤姊姊已早醒了，
　伊畢竟沒有蘇堤那種嫵媚，
可是伊倒底安穩些呢。

○

玉波的魚呵，

抒情小詩集

儘在碧清的水中，跳着舞吧！
管什麼人世間的蠢才，咒咀你呢！

○

漿兒打入湖心
水鷗兒噪起來了，
攪擾伊們底清夢呵。

○

南屏來的凄凄之音啊，
多麼悲涼呵！
莫非西子的哭聲嗎？
唉，伊被蹂躪得也太可憐了。

34

抒情小詩集

○

雷峯塔也太蠢了，
　已下去的夕陽，
還想捉他住呢！

○

伊已改了晚裝了，
　月下的倩形，
更顯出伊的媚而美了。

○

哪兒有月兒呵，
　原來伊怕三潭印了去呵。

○

我已傾入伊底懷裏了，
伊也向我笑着了，
只是隔岸的燈光，折散了我倆底懷抱。

J君的話

鄭振鐸

『「相思」總之便我們的心曲，擾亂而不安。
心中有了「相思」，好像多了一件東西，
又好像少了一件東西。』
我不懂J君的話，
但是——怕了。

伊說

曹聚仁

伊說：
『鎮日地想着，
我們像是失了什麼似的：
彷彿花兒叶兒黯了彼的底顏色，
鷯哥狸貓啞了彼底喉，破了彼的底聲帶。——
我們沒缺了什麼：
喜歡時會跳舞，
悲痛時會流淚，
會做一應的事；
但是我們終像是失了什麼似的！』

三，二六，一九二二。

心中事

（胡懷琛）

我要將我心中事，說給你知道。
你要將你心中事，說給我知道。
費了幾番工夫，打了幾個草稿。——
到底從哪兒說起？
還是各悶在心裏，不知等到甚時發表！

問愁

（胡懷琛）

愁呵！我問你：
春光過完了！
我跟着春來，爲什麽不跟着春去？
我有密達尺，量不出你有多少深淺，
我有顯微鏡，尋不出你躲在何處。
只覺我底心窠兒，牢牢地被你佔住。
碧油油的芳草，白濛濛的柳絮，都是你底化身麽？
爲什麽對景關情，我便要將你提起？

小詩十首

（張近芬女士）

（一）燭

燭兒，
　不要向我流淚了！
你是我漫漫長夜的惟一伴侶，
　我底心已爲你底心所融化了，

（二）小艇

小艇呵！
　你底目的不是在汪洋大海的彼岸嗎？
　爲何只是停留在這里？
你底勇氣到哪里去了？

(三) 願

願冬天的風永遠吹着？
黑夜永勿過去嗎？
願玫瑰花，百合花永埋在地層之下嗎？

(四) 小雀

小雀兒，你順受我底豢養罷！
要知你終逃不出這籠子了。
吱，吱，吱地髣髴答着說：
『你關得服我底心嗎？
捉得盡我底同類嗎？』

(五) 天亮了

天亮了，
外面有人敲門了，
醒醒罷！

（六）蜂兒

黃蜂兒撲在蛛網上，
蜂自投網呢？
還是網候着蜂呢？

（七）羣星

蔚藍的天際，
密佈着羣星，
多燦爛呵！

伊是爲照耀人們的嗎？
還是造化無意識的創作嗎？

（八）玉蘭

玉蘭啊，
別你三五天已長得這樣的苞了。
陽光正照着你，
快放出花來罷！

（九）江水

滔滔的江水，
日夜不息的向下流着
是有什麼待着你嗎？

抒情小詩集

（十）野遊

這般的景色，
這般的靈光，
終身陪伴着我，
是烏托邦呢，
是極樂世界呢？

於上海同德

小詩

（赤廬）

看哪，
這不是一朵美麗而艷裝着的花嗎？
可是她和牆邊底蝴蝶哥哥愛上了！

一九二三，七，三，上海。

忍耐些吧

（拜梅女士）

○

忍耐些吧，
路雖是崎嶇的；
天雖是昏黑的，
然而這顆心，早已把路墊平了，
把天開朗了！

○

忍耐些吧，
來路是已經忘記的了
無論誰也記不起來的；

去路呢，
　借愛神底光照耀着，
不多幾步，就會找到了呀。

○

咀咒耶和華吧，
　耶和華已把挨田園封住了；
咀咒蛇吧，
　蛇是不知道咀咒的；
咀咒我自己吧，
　我那顆心，是不許的——
那麼，

集詩小情抒

還是忍耐些吧！

——女師，蕪湖——

50

失眠的一夜

（亦光）

我明明地圓睜大眼，經過漫漫長夜：
因爲澎湃的思潮激盪起我腦海中的波浪如山立！
緊張的心弦又好像寂寥的深林，
　被狂風掃過，萬種鳴籟齊起。
啊！孱弱而昏亂的人啊！
既不耐黑暗底煩憂，
却懶洋洋地睡著等胭脂的日色染透鍍金的世紀！

一首波斯詩人底歌

德徵譯自 The Philosophy of R, Tagore

四隻眼珠兒接觸着。
二個魂靈兒裏便有更換了。
而今我記不起他是男子漢我是女流，或者他是女流
　我為男子漢。
我攏總所知道的只是，
三個人兒・愛來了，只一個人兒了。
　一九二一，四，三，譯于杭州湖濱

抒情小詩集

想　有序

(蘇月女士)

我欲不來想你，却以為
你正在那里想我。
我不想了，
可是已是想着，
即不想，
也許是想。

一九二三，二，一〇晚于吳興

春雨連綿，使人不耐！我除了嘔心的想以外，一切都死去了，即不死去，也許睡着了。現在寫出我的想，就是伸訴這種情緒的。

抒情小詩集

愛你

（蘇月女士）

我愛你了——現在眞實愛你了，
你倘還不信，
我嘔出心來給你看，
你就曉得我的心賣給你了，
因爲彼的細胞上，
一個個都刻着你的名字。

54

愛我

（蘇月女士）

你須要愛我，我最愛的…………
你不愛我，我許與愛神去歪纏了。
…………你須知道，
除了你，
我的情絲是無處束縛的呵！

集詩小情抒

送信者

這是多大的使命呀！
人們的安慰在你底身上——腳底。

（郭紹虞）

56

小詩

（劉復）

眼淚啊！
你也本是有限的；
但因我已沒有以外的東西了，
你便許我消費一些罷！

二一，九，一九。

小詩之一

（朱自清）

曇花開到眼前時，
便向她蟬翼般影子裏
將憂愁葬了。

禱告

（汪靜之）

我每夜將睡的時候，
跪向掛在帳上的白蓮圖說：
白蓮姊姊啊！
當我夢裏和我愛人歡會時，
請你吐些清香薰着我倆罷。

二一，二，二二，夜于枕上。

期待

（郭紹虞）

扶梯上一步步聽熟了的脚聲
好似有甜蜜的愛波一步步的震動我心情；
但是今天却期待久了。

我們倆

（劉復）

好淒涼的風雨啊！
我們倆緊緊的肩並着肩，手攜着手，
向着前面的不可知，不住的衝走。
可憐我們全身都已濕透了，
而且冰也似的冷了，
不冷的只是相並的肩，相攜的手了。

二一，八，一二。

讀完了一本新出的詩集以後

（沈澤民）

捲烟拿着，
椅背上靠着，
頭兒仰着，
口裏底烟氣噴着，
一本新出的詩集讀完了——
可不知道我心上沈沈着的是什麼。

伊遠了

（陳學乾）

我徘徊於鵝黃的菜花中間，
一個蝴蝶飛來，
撞在我底頰上，
驚惶地去了。
過去，
和伊携手，
但伊已遠了！

三，八。

人在世上

（CF女士）

人在世上，
　好像是很虛空的；
但雨雪之朝將感着寒冷罷，
　風月之夕將感着愉快罷！

一九二三，一三，于上海同德

等她回來

（劉延齡）

夜夜的相思淚，——
因爲有她底小影化在裏面，——
不忍得用巾揩了，
都移近來滴在花底心裏。
如今花紅得像臙脂了
我祇有留下來等她回來了……………

海棠

（CF女士）

牆角的海棠，
伸出頭來，
願受日光。
但日光偏不照伊呵

一九二二·一·三。於上海同德

惟月伴我

（婉如女士）

他的柔光，
向我酸淚照；
他的素手，
向我殘軀繞；
他的慈顏，
對我愁容笑；
不堪回首，
重過東山廟！

二十年，七月

接吻

奧大利格利爾巴采作

日本生田春月譯

美子重譯

在手上，是尊敬的接吻；
在額上，是友情的接吻；
在頰上，是厚意的接吻；
在唇上，是愛的接吻；
在閉着眼睛上，是倘恍的接吻；
在掌上，是懇求的接吻；
在腕和頸上，是欲望的接吻；
此外，都是狂氣的話了！

格利爾巴采（FrapzGrillkarger,179,—,872）是

抒情小詩集

奥大利亞最大詩人。 有『金羊毛』(Das Golde
ue Aices)等傑作

疑問

——第二首——

花瓣兒在潭裏；
人在鏡裏；
她在我的心裏。
只愁我在不在她底心裏？

（康白情）

愛底頌歌

（俍工）

愛呵！我心醉了你了！
我底心已流注在你底河裏。
我想借一縷清風，
把你底波浪吹起。

○

愛呵！我心醉了你了！
我想借一縷清風，
把你底波浪吹起。
波浪打在崟上，
激成粉碎的白沫子。

抒情小詩集

〇
愛呵！我心醉了你了！
波浪打在岸上，
激成粉碎的白沫子。
紛碎的白沫子呀，
　你可將人們底心琴打碎：

〇
你，宇宙底永久是你底生命！
　宇宙底偉大是你底願力！
你能夠將人們底心打碎！
愛呵！　我心醉了你了！

集詩小情抒

一九二一，十二，十一，長沙

小詩二首

（野葵）

（一）

扯斷蘿上籐，
搗碎相思子；
免得明年再發花，
一場秋風又如此！

（二）

我愛中禪寺（一），
甚於憐西子，
西湖之水媚眼兒，
華嚴之瀧淚不止。

（一）湖名，在日光山上，出口成巨瀑一，曰華嚴瀧，失戀者自殺於此，歲以百計，可見日人情感之熱烈。

徬徨

（修人）

田塍上受過蹂躪的靑菜，靜靜地睡着；
還是繞些遠路走呢，還是踐伊而過呢？

——浦東，1922，3，12——

花影

（雪峯）

憔悴的花影倒入湖裏，
水是憂悶不過了；
魚們稍一跳動，
伊底心便破碎了。

——西湖，一九二二，桃花謝時——

集詩小情抒

小詩

（汪靜之）

偏偏不許我沒有煩悶的長夜呵！

——杭州，1922，2，6——

78

腦海花

（玄廬）

他問伊要手上那朵花：

伊也不說，也不笑，也不懊惱，也不歡喜。

伊眼睜睜地瞧着他，默默地向他數着『你——你——
你……』

伊援援地拈起花來。微微地笑了一笑，輕輕湊近嘴
脣，細細地聞了一聞，就深深地藏在伊底腦海裏
——

伊仍舊拈着一枝花，斂了笑容默默地念着『我是誰
？——我替……』

從此，伊順手將花給了他，他登時歡天喜地。

特然說了一聲『謝謝你。』
伊——伊仍舊默默地…………
一九二〇，十二，廿七上海。

抒情小詩集

Venus

（郭沫若）

我把你這張愛嘴，
比成着一個酒杯。
喹不盡的葡萄美酒，
讓我時常醉！

我把你這對乳頭，
比成着兩座坟墓。
我們倆睡在墓中，
血液兒化成甘露，

Venus係美麗愛情之女神，相傳自波沫

中現身者。

（輯者附記）

小詩

（鄧演存）

一

我爲花的艷麗纔愛花，
我爲她的美貌纔愛他；
『這是「眞」的愛吧？』
我到有點疑惑！

二

『愛之欲其生，
惡之欲其死。』
可憐人們的感情，
原來是如此！

三.

『愛情可以來，
可以去和飛，
好像一隻鳥，
從這一株樹，
到那一株樹。』
這是多麼悽慘的說話！
失戀的人呵！
我曉得你的心碎了喲！

一九二三・三・二五商大

愛人底身傍

Zeolhe作
蘇儀貞譯

我好想你啊，
　從海邊的日光返照着我的時候；
我好想你啊，
　月的清輝映射在泉裏的時候。
我看見你，
　在遠遠的路上塵埃紛起的時候；
我看見你、

抒情小詩集

夜色已深旅行人還在小橋上立着打抖的時候。
我聽見你，
波浪從海中湧起發出鈍聲的時候
我聽見你，
到靜靜的林中萬籟俱寂，傾耳而聽的時候。
我終在你底身傍，無論怎樣隔離着，
你也在我身傍！
日落了，過一會子，滿天的星要照着我，
哦，哦，你也來罷！

心上的寫眞

（大白）

從低吟裏，
短歌離了伊底兩脣，
飛行到我底耳際；
但耳際不曾休止，
畢竟顫動了我底心絃。

從瞥見裏，
微笑辭了伊底雙頰，
飛行到我底眼底；

抒情小詩集

但眼底不曾停留，
畢竟閃動了我底心鏡。

心弦上短歌之聲底寫眞，
常常從掩耳時複奏了，
心鏡上微笑之影底寫眞，
常常從合眼時重現了。

一九二二·三·二·在白馬湖

集詩小情抒

小詩

伊人

堤上的柳呀！
沒有風來壓着你，
你也不會對着行人折腰吧？
人們說你諂媚，不太寃枉嗎？

○

烟筒！你是工廠的一個排泄器，
我要問：
『研究工廠病理學的人們，
會否考究你所排泄出來的蜿蜒不散的烟，
是男男女女的怨氣嗎？』

89

抒情小詩集

○

風呵！
任憑你怎樣狂吹，
你也只能扯碎水中一個月的影兒，
哪能破壞天上的團圓呢！

○

我除非仰着腦袋凝視天空，
視神精就不致不斷地向腦筋告急。

○

寧肯望着無心浮着的白雲
不願聽那有意啼著黃鳥。

抒情小詩集

〇

月兒！你的團圓也須秘密嗎，
怎要倩烏雲遮着呢？

抒情小詩集

司健康的女神

（郭沫若）

Hygeia喲！
你爲甚麼棄了我？
我若再得你薔薇花色的臉兒來親我，
我便死　也靈魂安妥。
Hygeia喲！
你爲什麽棄了我？

92

花瓣　（陳曉風）

『伊底花瓣落在你底袖上了』（力子）

『把彼夾在「倫理學底根本問題」中罷！』（曉風）

星期五手裏拿着一册『倫理學底根本問題』，和力子先生同坐電車至公園靶子場，轉往江灣。

有一西婦旁着我坐，因了車身底震動，花瓣紛紛從伊所持的花木落在我底袖上。 其時力子先生就對我笑說了上一句我便也將花瓣夾在書中，一面也笑答了下一句。 當時並無用意，隨後覺得我們在毫無用意中卻覓見得頗有意義的詩句了。

窗外

（康白情）

窗外的閒月
緊戀着窗內蜜也似的想思。
想思都惱了，
他還涎着臉兒在牆上相窺。
回頭月也惱了，
一抽身兒就沒了。
月倒沒了；
想思倒覺着捨不得了。

悼亡

沈太索

伊臨終向我流了一泓永別的淚；
便塞住了我一生歡笑的門了。

一一，八，一〇，在杭州。

甜美的夢

沈太素

時間的神啊，——
央求你縮短了我醒的時間；
延長了我夢的時間；
因爲別離的伊，
只有夢中常相見。

二，九，二五，在杭州。

我底疑問

沈太素

伊在我底心坎中嗎？
為什麼我還要常常地去找尋；
伊不在我底心坎中嗎？
為什麼我底眼裏長有伊底「倩影」；
我底耳邊長有伊底「啼聲」；
我底夢魂兒長和伊「携手花陰」；

二，二，四，在杭州。

詩人的心

衆宇

一個無線電臺，發出了若干暗記，
地面上各處的電臺，都鈴響不已，
只有那號碼同的，
才了解他的本意。

一個詩人的心電，發出了若干字，
人類的心，都強弱不齊的顫起，
只有同調的心，
才一字一字的陶醉。

修養

冰心女士

玫瑰花的濃紅，
在我眼前閃耀。
伸手摘將下來，
她却萎謝在我的襟上。
我的心低低的慰我說：
『你隔斷了他和自然的連結，
這自然便成塵土。
青年人！
留意你枯燥的靈魂！』

三・一〇・一九二三・

想（紀言）

葉聖陶

不想也罷了，
想到漸漸地接近的別離，
心便悵惘了。
　忘了罷，不要想起罷。
越是不要想起，
越是時時想起，
吃飯想起，
作活想起，
夢裏也想起了。

二，十八。

抒情小詩集

薄戀

俞平伯

影兒正依着，
夕陽又偎傍到那雙影兒。
夕陽怕他倆散啊，
他倆怕夕陽躲啊！
終於散了，
終於躲了；
分手，遠了，
淚不禁垂垂而浪浪的下來。

一二，二，九，杭州。

102

愛她呢

愛她呢，
折了她回去！
愛她呢，
囚她在籠裏！

禪樹女士

戀人的春

朱湘

你的眼珠是我的碧海，
你的雙輔是我的薔薇，
你的笑聲是我的鳥鳴。
啊！我的薔薇！
生在我的心地上！」
我的心地上是不老的青春。

夜

侍鷗女士

燈火透進窗內，
似來呼我——
不，
已輕輕隱去。

一九二三，二，十八上海。

抒情小詩集

棄婦的春

朱湘

春來了。
——但他却沒來。
陰雨微微：
這正是他踏着落花，西去的時候。
小河，你活活的說些什麽？
你是從他那裏來的？

晚眺

侍鷗女士

天半掛着幾縷寒烟——
一線——二線——
忽然不見！
遊子的心呀，
正是微細的烟！

一九二二，三，八六在黃浦江岸．

抒情小詩集

Venus

夢葦

我是一隻活潑潑的小鳥；
Venus！
你爲什麼高張着情網，
把我籠罩？
我是一隻活潑潑的小羊；
Venus！
你爲什麼緊牽着情索，
把我糾纏？

燈光

朱自清

那泱泱的黑中熠燿着的。
一顆黃黃的燈光呵，
我將由你的熠燿裏，
凝視她明媚的雙眼。

一點墨

徐玉諾

我的眼睛像兩隻美麗蝴蝶一般，一默一看的繞過這
一片蒼色的圖畫——一片奇怪的高低不平的圖畫！
被一點小墨留住了！
我依依戀戀環繞這個小墨點，這小墨點就現出無限
的深奧！
是一個溫和而且美麗的世界，可以一步一步的走了
進去。
這是我的愛人的一隻眼睛呵！
我在裏邊；我必須活在那裏，我的，我所要的一切
都在那裏了。

五，十，夜。

愛的表象

徐玉諾

他的愛人送他小小一方絲巾，上面寫着：
『要她替我看待你！』
他心神跳動着看了又看，他沒心似的舉起兩臂，忽然覺得害羞似的又放下來；
他心慌，他的面頰忽然發紅，又忽然青白；
——狂駒得着了泉水——嘗着溫柔的人，就是這樣了！
——五，一一早．

小詩六首

毛彥文女士

一

久別的相叙，
是何等快樂！
暫叙復離，
又怎樣說呢？

二

我親愛的，
莫錯會了意呀，
別後相怨
是眞愛的流露。

知道多少人們
享不到這個「怨」的幸福。

三

秋風是蕭條的，
湖畔是沉寂的，
只有孤另的我偏然坐不語。
那西子很冷酷的向我：
「往日伴侶到哪兒去了？」

四

四壁的虫聲，
周圍的鼾聲，

隱約照在牀上的微光，
逼出一個悽惻的深夜來。
祇有不能入夢的離人
能領略着這個風味。

五

心坎中最隱憂的，
衰年老母，
多病幼妹，
回望家鄉，
無情淚水不由的流個不住。

六

希望是甜蜜的，
事實便乾枯了。

一九二二，九，一六。於杭州。

集詩小情抒

116

再版抒情小詩集補選

馮西冷

她的贈品

她臨去的時候，
送給我二件贈品；
一件是沉鬱的眼波，
一件是痛苦的微笑。
我很珍重地將她這二件贈品深藏在心窩裏，
雖一分鐘也不曾忘記；
那知這二件贈品原來是二條春蠶，
意把我的心當做桑葉。

抒情小詩集

短詩二首

周作壽

（一）

我對伊最後的要求說：
『可愛的！
我不動手了，
肯讓我一吻麼』？

（二）

月兒窺窗，
人兒癡想：
『這時她也許在望月罷？……』

118

抒情小詩集

我那時早已是你的了

沙利

當我們輕輕地踏在桑影上，
一片銀白色的池水，
在桑林外銀閃閃地發光；
你攀着一根桑枝，
我默默的挨在你傍邊，
我們不期把眼光溜着時：
愛人！我那時早已是你的了！

當我們迎着微風，
立在海塘上吸清醇的稻香，

抒情小詩集

更放眼到遠村的煙樹，
樹叢中瀉着一縷江水。
江水上流着幾翼風帆；
寒風吹着你打顫，
我狠擔心的摸你的手時，
你却朝我一笑：
愛人！我那時早已是你的了！

當你微現着倦態，
倚在我身上，
我扶你上城牆時，

抒情小詩集

我們同坐在一塊石墩上，
你倒入我的懷中，
看浮在銀光中的天上流雲的飄蕩；
你把手帕蓋着面，
我求你莫睡着了，
我就抓你的脇渦，
你笑得在我身上打滾時；
愛人！我那時早已是你的了！

石屋洞去的路上

路亭中友朋們的打趣，
伊惱走了。
祇有伊飄揚的裙裾，
在草叢、葉角間尙閃露着。
她們却都笑催着我去懇求伊，
我低了頭，
踟躕趾步走上山坡時：
我的心早已在伊的身邊了，
伊已笑立在山徑上迎我了。

夏夜

流螢慢慢的飛渡過去了，
他閑坐在水階上，
攪碎水中的明月，
兩手伸入月中映。

流螢漫漫的飛渡過來了，
他還是坐在水階上，
他暗暗的思量：
「倘如她來呢？
回去又要受嬸娘的氣苦。

倘如她聽了我的話，那末——
她祇好坐在牀上想我，
我祇好坐在水階上待她』。

黑夜的湖上

水上半圈明燈，
水中半圈明燈；
黑暗中，湖心亭，阮公墩……
都化作一團團的黑影。
我們呵！坐在波艇上，
把手兒握着，
把身兒倚着，
在黑暗的波上浮沉。

無題曲

（靜之）

悲哀是無邊的天空，
快樂是滿天的星星。
吾愛！我和你就是
那星林裏的月明。

深深的根的悲哀，
碧綠的葉是快樂。
吾愛！生在那上面的
花兒就是你和我。

抒情小詩集

海中的水是快樂，
無涯的海是悲哀。
海裏游戲的魚兒就是
你和我兩人，吾愛！
哀是無數的蜂房，
快樂是香甜的蜜蜂，
吾愛！那忙着工作的
蜂兒就是我和你。

逃亡

英國 Sara Teasdale 著　延齡譯

用懇切的眼睛回頭來看而且知道我願意跟隨你去，
舉起我於你的愛中如輕的翅膀舉起一個燕子，
讓我們的逃亡在日光或風雨之中下去得遠，——
但是倘若我聽見第一次的情人重新喚我這却怎樣呢？

抱持我在你的心上如勇敢的海抱持泡沫，
帶我去遠到藏着你的家的羣山之中；
平安將許蓋住屋而愛情將要門住門——

但是倘若我聽見第一次的情人重新喚我這却怎樣呢？

我將生活於你的愛中

（同前）

我將生活於你的愛中如海草生活於海裏，
負上來被每一個波浪當牠走過來之時，拉下去被每
一個退下去的波浪；
我將把緊集在我身中的夢想統統從靈魂裏傾倒出來
，
我將隨你心底跳而跳，跟隨你的靈魂而如如牠所引
。

燈

（同前）

如果我能携帶你的愛如一盞燈在我之前，
當我沿長而峻峻的黑暗之路下去之時，
我就將不怕永久不盡的許多影子，
　也不在恐怖之中號哭。

如果我能找到上帝，我就將找出他來，
如果沒有人能找到他，我就將安心熟睡，
因爲我知道你的愛在地上是能怎樣地安撫我，
　是黑暗中的一盞燈了。

抒情小詩集

小詩

（輯者）

『切莫采擷脚邊微弱而嬌嫩的薔薇，
況且伊又是到將謝的年齡了。』
被處女迷信所束縛的人們却不知道伊神秘的美不在
含苞初放的時候。
我們且忍着尖銳的針的刺痛鄭重地去收拾罷，
正憐惜伊是嬌嫩、微弱而且是將謝的。

132

小詩

悲哀尋不見她的主人時，
她祇能在街上滾着；
當她碰着了閑空的心，
就要將他纏住了。

（維祺）

春寒

人們尋不出春光底來路，
只有悵惘了！
伊誤了伊的行程了，
或者伊被愛人留住了！

（陳學乾）

無題

戀人臨別的握手，
現在指上已不顫動了；
但在失望的回憶中，
還時時燒着不可解的微温。

（張拾遺）

抒情小詩集

親密

口的呼吸，
心的跳。
半山裏的白雲，
白雲裏的微笑。
待到白雲消，
我們羽化了。

（陸志韋）

流水的旁邊

（陸志韋）

（一）

你爲我在流水的旁邊，
　造茅屋兩三間，
使我夢裏見你的時候，
　也聽見活水流。

（二）

我早上到流水的旁邊，
　見落花一點點。
我求他們載我的念頭，
　一個個向你流。

抒情小詩集

（三）

你回來在流水的旁邊，
看看月明風軟，
愛活水像愛命的朋友
能否爲你消憂？

抒情小詩集

兩個人

(陸志韋)

你我倆，手握了手，
坐到更深人去後。
滿天星照着芭蕉一片渡。
我頭髮裏了山頂的雲痕，
我的心腸像山澗水亂轉。
吾眼淚不在你面前流，
你是天上的忘憂使者。
明朝束腰上路，大難還不在謀生。
我東南西北，什九是爲報你一些恩。

牆邊白梅早開，紅梅來時，白梅都已謝去。（陸志韋）

總是花開花謝，
爭得坐個遲早。
昨天才送白梅老，
今天又見紅梅了。
送白梅來的，春風像剪刀；
送紅梅去的，有叫不了的癡鳥。
　忽然叫到心坎上，
我們的女子換一通新色調。
白梅去，紅梅去。

那一朵花兒不老？
只有女子的心腸不老。

又見一種青的野花，西名叫『早春』漢名我到不曉得。

（陸志韋）

我把你們當做相思子，
在你們中間劃一個圓壽字，
　願我心愛的人
永永遠遠青春。
我把你們當做莫忘我，
對你們唱一百個定情歌，
　願我心愛的人
聽見一聲兩聲。

我又把你們當做蓍草，
活不了的時候向你們拜禱。
我情願丟了靈魂
找一個心愛的人。

抒情小詩集

占有

（俞平伯）

游博物院後所感

誰敢說這是一種罪過？
（至少我是不敢說）
我們要愛，
我們要熱熱的愛。

我遠遠的望着你，
我近近的覷着你，
我緊緊的握着你，
我重重的吻着你，

144

我密密的摟着你。
有你，你得在我底懷裏；
有我，我得在你底懷裏。
誰敢說這是一種罪過？
（至少我是不敢說）

假如你願意

我不能有你，
且不能有我自已，
我當爲你所有；
假如你願意。

我厭棄自由了，
我厭棄我底心了，
把她們交給你，
都交給你；
假如你願意。

俞平伯

我微細得來像塵土一樣，
在你脚底下踏着，
到你脚跟沾有塵土的時光，
我便有福了。

記七月十一之夢

俞平伯

玫瑰紅的夜，
鏑子在屋頂叫，
火光在天半燒，
愛的人在我懷中抱。
她底心這樣跳，
我底心那樣跳。
我們倆底血流而融，融而凝了；
我們只是一起抱。
我們戰慄着；
我們只是笑。

抒情小詩集

惺忪的眼半睜，朦朧的晨亦近了。
啊！鎗不見了，火不見了，
玫瑰紅的夜不見了。
燒着在的，搖曳的短燭罷？
響着在的，飄灑的急雨罷？
是的！
燭燄正在白紗的帳子外面跳；
雨點正在白鐵的篷頂上面嘯；
愛的人仍在我懷中抱，
可是她已睡着了。

一九二三，七，十二。在杭州作

凝視

張耀南

清涼而靜寂的樹影下，
翠綠而柔和的青草上
沉沉默默的坐着一個
凝視的幼小的女郎。

任粉蝶在她身邊飛過；
任綠柳在她頭上擺蕩，
她終是穩穩坐着動，
凝視着蔚藍的穹蒼。

依戀的情火在她眼珠上跳動，

抒情小詩集

盼望的熱情在她眉際晻映；
她終是穩穩的坐着不動，
向着穹蒼端詳端詳。

羣島傲然苦笑，
輕風迎出東方的月光；
犬吠了，犬吠聲
折斷了她的奇偉的思想。

上海旅店瑣話

輯者

既無月光穿窗，
又沒狂風作浪；
更有誰敢誹謗我們倆？
今宵啊！
姊姊，你可盡你愛的量！

回憶

常書林

回憶畢竟是個痛苦的泉源；
我想將廣義的愛人換去了狹義的愛伊。
偏偏是阿弟多事，
往事重提，
霎時間，
心潮怒湧，
語塞胸田！
是伊給我情愛的餘炎嗎？
是我怒伊背約的餘憤嗎？
伊人已去，

此心未已！
腸斷到也吧，
心碎復何尤！
祇是腸未曾斷！
心未碎！
淚痕斑斑，
溼兩袖。
往事不堪重提，
往事莫重提；
又怎能禁我內心的回憶！

一九二三，一，二九於北大第一院。

一千九百二十三年初版
一千九百二十五年再版

抒情小詩集（全書一册）

定價大洋三角

輯者　查猛濟
校勘者　常書林　陳德徵
印刷者　上海古今圖書店
總發行所　上海古今圖書店　棋盤街交通路
分發行所　杭州古今圖書店　太平坊大街
代售處　各省各大書坊